KB195892

네가 떠난 자리에 네가 있다

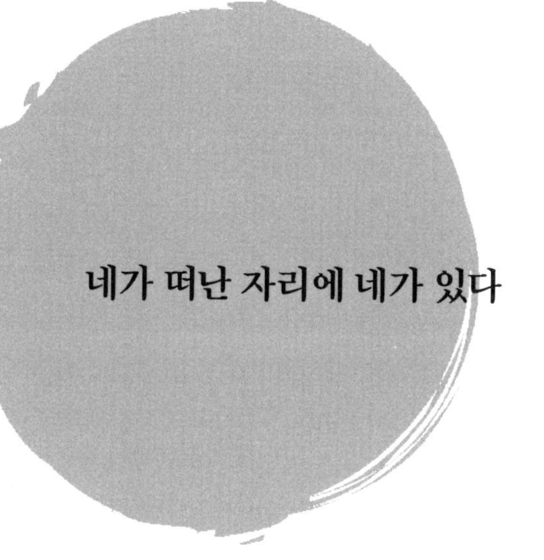

네가 떠난 자리에 네가 있다

정우석 시집

24

시와정신시인선

시와정신사

■

시인의 말

어느새 등단한 지 5년이다

대학원에서 써온 시들과
습작으로 모아 두었던 시들을 다듬어
첫 시집으로 내어 놓는다

아직 여러모로 부족하지만,
첫 걸음을 떼는 심정을 담아
조심스레 시집으로 엮어 본다

내 시는 이제 출발점을 지나고 있다
오래갈 수 있는 시인이 되고 싶다

2019. 6
정우석

차 례

제2부

___ 제3부

___ 제4부

제1부

삐 소리 후 소리샘으로 연결됨

널 부르는 말들이 가는 선 타고 흘러내릴 때 낯선 목소리가 날 반긴다

예전이랑 변한 게 하나도 없구나
요즘 어떻게 지내?

안부는 헤어질 때 나누는 인사

왁자한 소란을 흘려 넘기고 건성으로 맞장구치기도 하면서

빈잔 가득 네 얼굴을 채워 넣는다

흔들리는 바다에서 넌 수많은 표정으로 숨 쉰다

떠밀리지 못한 모래 알갱이가 춤추듯 허공을 맴돈다

전하지 못한 계절들 머릿속을 쉼 없이 넘나들며 날카로운 파도가 날 찌른다

해변에서 종일 거닐던 그림자 하나 뱀 허물처럼 얇게 걸려 있다

재개발지구

긴 시간을 부둥켜안은 시신 하나 방구석에 엎드려 있다

유서 한 장 없는 방 안
그가 남긴 마지막 한 마디인 듯 녹슨 문짝 거푸 덜컹거린다 오래 방치된 탓에 시신은 심하게 부패되어 형체를 알아볼 수 없다 홀로 어둠을 밀며 힘없이 팔과 다리를 지우는 뒤척임

무신경한 창문이 함부로 토해낸 바깥으로
건물들 하나씩 무너져 내릴 때
그는 일 년 동안
묵묵히
일인시위를 벌이고 있었던 걸까

열린 문틈 노려 찬바람 불어 닥치는 와중에도 그는 좁디좁은 방에 박혀 끙끙 견디고 또 견디다가
마침내 창문 밖으로 사라지는 배경으로 시선을 던졌을 것이다

누구를 위한 개발인가

아무도 대답해 주지 않아
온몸으로 소리가 된 사람이 있다

물끄러미

해가 맨얼굴을 드러낸 오후
계단 아래에 세워져 있던 그것에
아이가 비틀거리며 발을 디딘다

오래된 창고 안에서
온통 흙먼지를 뒤집어쓴 채
시간을 끼니 삼아 홀로 견디던
손때 묻은 세발자전거

조그만 발 휘저어 페달을 돌리면
놀란 바퀴도 허겁지겁 따라서 돌고

어디까지 굴러가려나
바퀴들이 지치지도 않고
쉼 없이 한 방향으로 돌아가는 모습

잠시 돌다 멈춘 바퀴가 빨리 가자며
작고 여린 발을 재촉하는 광경을
낯섦으로 바라보게 된 것은

언제부터였을까

나도 저렇게
말라붙은 일상의 시간을
원 없이 굴려봤으면
힘껏 앞으로 달려보았으면

꾸벅꾸벅 졸던 계절이
빠진 깃털처럼 흩날릴 때
멈춰 선 태양이 고개를 기웃거리고
구름 한 점 없는 하늘이 숨을 죽인다

나른한 하루가 굴러가고 있다

봄날

누구를 몰래 엿보려는지
해가 산 너머로 머리 들이미는
고즈넉한 저녁
가지 끝에 위태로이 매달려 있는
어린 꽃잎 하나
갑작스레 불어온 바람에 놀라
나무의 듬직한 팔뚝
그만 놓쳐 버리고 말았다

멀리 날아가면 어떻게 해
여기가 좋단 말이야
남몰래 울상 짓고 있는데
널 안전한 곳에 데려다 줄까
근처 지나던 바람의 권유
반색하며 순순히
가냘픈 몸 흐름에 맡긴다

돌 속으로 꽃잎 하나 스미고 있다

소금꽃

너와 마주하기 위해서는
오랜 기다림이 있어야 한다

두툼한 적막을 껴입은 채
좁은 칸막이 안에 틀어박혀
꿈을 꾸듯 짠맛을 키운다

햇살 머리 위 얹히고
바람 다가와 어루만지면
약속이나 한 듯 고개 내미는
시간의 하얀 알갱이

어디선가 날아든 새 한 마리
짭짤한 시간 휘저어 놓을 때
태양이 흩뿌려 두고 간 빛줄기

손등으로 땀방울 훔치는 사내의
축축한 어깨가 환하다

빈칸

미처 차오르지 못한 나뭇가지 몇,
앙상하게 뼈를 드러낸 오후
벌어진 빈 공간으로 바람이 달라붙는다
그의 심장으로 스며든다
뛰쳐나온 아이처럼
거친 숨을 헐떡거린다
적어 넣을 쉼표가 남아있지 않아
울먹이고 있다
빈손으로 지나치곤 했던 시간들
얼마나 더듬거려야 할까
저 너머까지가 너무 멀어서
굳어버린 허공만 만지작거린다
버릴 때가 되었다고,
빈칸 따위는 그만 놓아두어야 한다고
고개를 흔드는 사람들
더는 도망갈 구석이 없는지
구석에 홀로 웅크리고 있다
낯선 새들이 수군거리며 떠난 그곳

사방은 빈틈없이 조용한데

언뜻 네가 서 있는 것도 같았다

구겨진 오후

비행기 한 대
소리 길게 끌어와 하늘 찢을 때
새들은 놀라 일제히 날갯짓한다
떨구고 간 소리들이 굴러다닌다
바람 한 줄기 슬그머니 다가와
성급히 엎지른 계절을 어루만진다
한 장 한 장 낯선 시간을 펼쳐드니
마주친 페이지가 고개를 주억거린다
웃자란 나무 아래
벤치에 주저앉아 고개 숙인 사내
잡초처럼 흔들리고 있는 그를
그늘이 묵직한 허리로 짓누른다
이따금 내려앉는 이파리 몇 개
그의 어깨를 툭툭 두드려댄다
머리를 감싸 쥔 그의 앞에
구겨진 종이컵이 비명처럼 나뒹군다
무뚝뚝한 시간은 고개를 돌리고
바닥을 쪼던 참새는 대화할 줄 몰라서
어색한 오후가 일그러진다
해가 천천히 자리를 뜬다

천둥소리

밖에서 창문 두드리는 이 있다
처음엔 점잖은 신사처럼 노크하는가 싶더니
작정이라도 한 듯 쾅쾅 때려댄다
이곳은 4층 방 안,
이어폰으로 꼭 틀어막힌 두 귀에
귓가에 대고 말한 것처럼
선명하게 울리는 소리가 있다
밖을 보니 때마침 울리는 천둥소리
아까보다 한층 더 요란한데
어두워지기 전 밖으로 나서니
신호 보내듯 리듬에 맞춰 떨어지는 빗방울
우산 꺼내 펼쳤는데
흐느적거리고 있는 우산 한 귀퉁이
아까 들려온 호통 소리에
어지간히 놀랐나 보다

물집

따끔한 통증이 발을 불러세운다
너무 오래 걸었다고
이제 그만 멈춰 달라고
걸을 때마다
완강하게 버티려 세워 놓은
집 한 채
웅크린 기억들
발의 집으로 시선을 옮긴다

네가 세워 놓은 집
미처 꺼내지 못한 변명처럼
덩그러니 박혀 있다

기다림

지친 자동차들 꽁무니로
휘발유 냄새를 풍기는 저녁
눈을 감으면 보일지도 몰라
오지 않는 버스
가는 빗줄기 땅을 두드리고
드문드문 우산들의 행렬
물끄러미 바라보는
맨몸으로 헐레벌떡 뛰어오다
물세례 받고 온 청년
구겨진 신문 뒤적이는 할아버지
큰 소리로 통화하는 남자
한곳에 모여
모두 무엇인가 기다리고 있다
여간해서 오지 않는다
눈을 감으면 보일지도 몰라
멍하니 앉은 아이는
버스를 기다리는가, 아니면
비가 그치기를 기다리는가
빗소리 구르는 저녁

그림자

자리를 뜬 그림자 하나와
남겨진 그림자 하나
바람은 손톱을 세워
심장을 할퀴어대고
눈 쌓인 골목
그늘 속으로 스며들 때
떠도는 목소리를
아무도 기억하지 못한다
무질서하게 찍힌 발자국들
오갈 데 없는 시선이 쌓이고
내팽개쳐진 하루
먼 기척으로 붉다
저 두꺼운 시간을 읽을 수 없어
빈 공간으로 누워버린다

한낮의 질주

두근거리는 심장 소리마냥
쿵쿵 거센 발길질 바닥을 때리면
듬성듬성 패여 나가는 풀포기들
뼈마디 다 드러날 것만 같은
얇고 가느다란 다리 힘차게 움직여
꾸벅꾸벅 졸던 땅 흔들어 깨운다
광활한 대지 힘차게 가로지르는
그들의 얼굴에는 표정이 없다
가장 힘없는 것들, 맹수로부터 도망치기 위해
있는 힘껏 땅을 박차고 달려나가는
가장 쉽고도 어려운 대처법을 몸에 익혔다
모래바람은 끊임없이 그들을 재촉하고
그들은 드넓은 초원을 달리며
어디에도 눈 돌리지 않는다
이 위험한 경주에 자진해서 참가하지 않으면
끝없는 어둠 속에 삼켜지고 말 것임을 그들은 안다
골인 지점 없는 달리기
아무도 그들의 질주를 막지 못한다

히말라야

금방 목욕 끝내고 나왔는지
하얗게 빛나는 몸 혹여나 누가 볼까
구름으로 제 모습 감춰 보지만
그 큰 몸뚱이 가리기엔 무리였는지
허리 윗부분 훤히 드러나 보인다

어느 조각가가 머무르며
공을 들여 깎아 놓고 간 것일까
날카롭게 튀어나온 기암괴석들
지켜보느라 녹는 것조차 잊어버린 눈이
드문드문 자리를 지키고 있다

검은 산양 떼들은
온 땅이 제 집이라는 듯
가파른 벼랑을 타고 올라
눈밭 위를 거침없이 뛰어다닌다

날개를 일자로 펼친
독수리 한 마리,

산 정상을 휘돌아 내려와
다부진 부리 꼿꼿이 세워
매섭게 적막을 쪼아대고 있다

빙벽

벌거벗은 사내 하나
빙하 속에 스며 있다
오랜 그리움을 부여잡고
그는 아무도 모르게 조금씩
더 단단해지고 있을 것이다

싸늘한 저 몸뚱이
오래 전 그 자리에는
뜨거운 심장 펄떡대고 있었으리

얼굴 한쪽 무너져 내리고
뼈마디 선명히 드러날 때까지
누구의 눈길도 닿지 않는 곳에 잠겨
홀로 뜨겁게 견디어 왔을 것이다
고독의 더께가 쌓이고 쌓여
저토록 단단해졌을 것이다

아득한 기다림이 쌓아올린 절벽
갓 구워낸 도자기처럼 아슬하다

제2부

白夜

해는 머뭇머뭇 자리를 뜨지 않고
달려드는 어둠 내치며
산머리에 걸려 있네

눈 감고 있는 사이
모르고 지나칠까
눈 부릅뜬 채 꼼짝도 않고 있네

따분한 바람 몸을 뒤틀어
잔잔한 호수에 파문을 일으켜도
눈길 한 번 주지 않고
먼 언덕으로 향한 시선

무수히 늘어선 그림자 틈에
기다리던 이 오지 않았나
곁눈질로 흘깃거리는 것도 잠시,
시선은 다시 먼 곳으로 향하네

이제 곧 돌아오겠지
그가 남긴 뿌연 목소리 끌어안은 채

오다가 발 헛디뎌 넘어지면 어쩌나
뜬눈으로 밤을 지새네

그날

공을 차는 아이들
뒤편으로 보이는 건물 하나
잊고 지내온 기억
스프링처럼 튀어오르네
4교시 끝을 알리는 종소리에
줄 앞자리를 차지하기 위해
허겁지겁 교실 문 열어젖히곤 했었지
끝이 보이지 않는 긴 줄
교실에서 꾸물거리던 아이들은
왜 이리 빨리 안 가나
들을 이 없는 푸념을 늘어놓기도 했었지
조금 더 주세요 아이들이 식판을 내밀 때면
'골고루 먹어야지' 핀잔을 주시면서도
조금씩 더 담아주시던 아주머니들
무늬 하나 없는 희고 투박한 식탁
친구들끼리 한자리에 모여
특별할 것도 없는 잡담 쏟아내기도 했었지
먹기 싫은 반찬 국그릇에 쏟아 붓고
쭈뼛쭈뼛 퇴식구로 향할 때면
자리 지키고 선 형들 눈치를 보곤 했었지

은빛으로 번들거리던 문은 때묻고 녹슬어
가만히 귀를 대어 보면
쩔그렁 쩔그렁 젓가락 부딪는 소리
금방이라도 들려올 것 같은데,
지금은 낯선 침묵만 자리를 지키고 있네

입 다문 채

하늘의 계시라 하여
사람들 사이에 떠받들어져도

볼품없는 몸뚱이에
터무니없는 값이 매겨져도

그의 입은 무겁다
기다리고 있을 뿐

타오르는 불길에 몸을 내던져
구멍 숭숭 뚫린 채
가파른 돌무더기를 참고 굴렀다

수억 년 시간이 지나도
여전히 그는 그 자리에
입 다문 채 서 있을 것이다

언젠가 돌아오고 말 거라는
옛 약속의 끄트머리를 부여잡고
한 조각의 기억이 되기 위하여

손수건

낯술이라도 하다 온 걸까
걸음걸이 꼬인 한 사내
버스에 오른다

주춤주춤 다가와
질 나쁜 종이 한 장과 함께
납작한 비닐에 든 손수건 건넨다

부인인 듯한 여자와 나란히
병원 침대에서 찍었을 사진 한 장
빼뚤빼뚤 날림체로 적힌 편지 몇 줄

십 년 전에나 유행했음직한
어린이 만화 캐릭터 하나가
비닐 속에서 키득거린다

개당 이천 원이란다
만 원짜리 한 장,
허리에 둘러맨 가방

서툴게 뒤지시는데

달리는 차 안에서 주춤거리며
몇 분에 걸쳐 가방과 사투를 벌이던
그가 건넨 꼬깃꼬깃 접힌 팔천 원,

돌아선 그의 뒤통수에
때이른 저녁이 얹혀 있다

아무도 없다

온몸에 빽빽히 들어찬

앞집 신문 옆집 광고지 다발

누군가 내놨을 구겨진 잡지 더미

가리지 않고 남김없이 채워 넣는다

오늘의 무게는 도합 만 원 남짓

돌더미 핑계 삼아 몸을 뒤틀면

휘청거리는 허리 애써 부여잡으며

그래도 지체 없이 발을 옮긴다

하루의 값을 더하고 또 더하기 위해

지름길 따윈 거들떠도 안 보고

약속이라도 한 듯 먼 길로 에둘러 간다

턱턱턱 녹슨 기침 뱉기도 하고

간질 환자마냥 덜덜 떨기도 하며

속을 텅텅 비우고 돌아오는 저녁,

빈 리어카 위

지나던 해 슬그머니 얹힌 줄 아는지 모르는지

느릿느릿 발 옮기던 그,

엊저녁부터 모습 감춘 그의 행방을

알아챈 이는 아무도 없다

사랑니

잇몸 오른편이 뜨끔하다
튀어나오려는 비명 꿀꺽,
덜 씹힌 밥과 함께 삼킨다
얼얼함은 잇몸 언저리에 웅크리고 있더니
식사 끝날 때까지 자리를 뜨지 않는다
왼편으로 밥을 슬금슬금 굴려 넣는 사이
미처 못 챙긴 음식물 닿기라도 하면
촉수처럼 사정없이 달라붙는 통증
한참을 들러붙어 있다가
겨우 자리를 뜬 그 골칫덩이는
저녁 식탁에 또다시 찾아왔다
잇몸 주변 들썩거리며 요동을 치자
일그러진 식탁이 따라 들썩거린다
단 몇 시간의 휴전은
예고 없이 파기되었다
밥을 삼키려는 나와
나를 삼키려는 밥
서로의 빈틈을 탐색 중이다

신사임당 실종 사건

은행에 들러
20만 원 찾았다

빳빳한 5만 원 권 넷,
주머니에 쑤셔 넣고
길을 나선다

일 마치고 돌아와 보니
눈웃음 짓는 신사임당 세 분
한 분은 어디 가셨을까
다시 세어 보아도 여전히 세 분

통장 꺼내 펼쳐 보니
'인출금 200000' 이라는
간결하고 무심한 답변
선명하다

떨어지지 않는 발 옮겨
밖으로 나선다

걸어서 10분 남짓한 은행
안개가 술 취한 듯
멀리서 흐느적거리고 있다

김씨

일자리 알아봐 주겠다던 친구 녀석은
벌써 며칠째 연락이 없다
달도 외면하듯 떠난 밤
포장마차 희미한 불빛 아래
호탕한 웃음소리 귓등으로 흘리며
맞장구라도 치듯
고개만 연신 주억거린다
접시에는 잿빛 낙지 한 마리
물 끓는 가락에 장단 맞춰
담배 연기처럼 흐느적거리고 있다
누구를 향한 손짓인가
벌써 자정 훌쩍 넘긴 시각
마누라 자식놈은 지금쯤 잠들었을까
휴대전화 거푸 만져 보지만
연락할 이 하나 없어
애꿎은 소주병만 기울여댄다

꽃

화분 두 개를 분양받았다

한동안 방치해 두었다

화분 하나는 멀쩡한데,

다른 하나는 모조리 시들어버렸다

한쪽에는 '희망' 이라 써 있었다

일찍 온 날

신발 놓아두던 자리
허연 바닥만 지키고 있다
얼기설기 늘어선 신발들
볼일 끝났으면 얼른 가보라고
기웃거리는 날 노려보고 있다
시퍼런 서슬 워낙 집요해
하릴없이 맨발로 들어선다
손때 묻은 운동기구
비어 있는 러닝머신
양말뿐인 낯선 발 앞에
저마다 기겁하며 등을 돌린다
아니다,
그런 판단은 잘못되었다
울퉁불퉁한 바닥에 닿기를
양말 하나 덜렁 걸친 저 고상한 발이
스스로 거부한 것이리라
행여나 누가 따지려 들까
허리 기구나 잠깐 돌려보다
허둥지둥 자리를 뜬다

바닥

까무잡잡한 멧새 한 마리
아이 손바닥만한 몸뚱이 휘휘 흔들며
멀리서 나뭇잎 떠는 모습
지켜보고 있다
바람 한차례 그 몸뚱이 휘감자
버텨 보려는 듯 두 발 부르르 떨고
휘적휘적 날갯짓 몇 번 치더니
더는 못 견디겠는지
나뭇가지를 힘껏 박차고 오른다
순간이었다
멀리서 몰아쳐 온 바람
바로 그 자리에 날아와 꽂히기까지
새는 어느새 자취를 감추고
머물다 간 흔적만
공중에 선명하다

거리

승용차 한 대 지난 길목
근처 새떼 찾아와 먹으라는 듯
길바닥에 엎어진 그릇 옆
푸짐하게 차려진 음식들
붉은 도랑 위
드러누운 오토바이 한 대
주인 몰래 빠져나왔을까
뜨거운 뙤약볕 아래
홀로 남아 일광욕 즐기고 있다

바퀴벌레

까맣고 둥근 몸뚱이
느닷없이 발밑 지나쳐 간다
가느다란 다리 몇 쌍
쉴 새 없이 바닥 휘젓고 있다
휴지 뽑아 들었지만
허둥대는 날 비웃기라도 하듯
그놈은 책장 밑 가는 틈
마중해 온 어둠과 몸을 섞는다
다시 튀어나오지 않을까
한참을 기다려 보아도
감감 무소식이다
혹 잠결에 다시 튀어나와
내 몸뚱이 위로 기어오르면 어쩌나
종일 밤잠 설친 날이다

그곳에 가면

식장산 오르는 길, 넓게 트인 호수는
하늘을 한 바가지 떠다 담고
빼곡한 나무 그림자들 곁들인
시원한 냉면 한 그릇
다른 나무에 넌지시 등을 맡기거나
일광욕하듯 뿌리 시원하게 드러낸 나무들
사방으로 퍼진 갈림길 가운데
홀로 자리 지키고 있는 이정표 하나
물소리 새 소리 풀벌레 소리
찾아와 장난치듯 건드리고 가네
누가 더 큰가 키재기 중인
벤치 둘 나란히 서서 발돋움하고
돗자리에 누워 잠든 부부 곁에는
깨우고 싶어 안달하며 스치는 바람
지나는 이들 시선 신경 쓰였나
풀들 허리띠처럼 두르고 있는 바위 너머
의자에 앉아 입담 좋게 떠들고 있는
아이스크림 장수 아저씨
지친 몸 추스르며 벤치에 앉아 있는데
문득 눈에 띈 작은 움직임

해가 한창 내리비칠 때면
어김없이 나와 돌아다니곤 한다는
주먹만 한 다람쥐 한 마리
다가서면 멀찌감치 달음박질치며
부끄러운 듯 뒤도 돌아보지 않더니
어느 새 제 기척 지워 버렸네
문득 산을 내려오다가 보았네
오래 간직해 온 약속처럼
밑동만 남아 배웅하는 나무 한 그루

내가 나를 지켜보다

주머니엔 동전 하나 없는데
눈앞에 자꾸 아른거리는
300원짜리 초콜릿 봉지

지나치려 했지만
달콤함이 날 떠나려 하지 않아
서너 개 집어 들었네

문을 나서려는데
문 앞에 앉아 있던 주인 아저씨
내 손 지그시 바라보셨네

혼나겠구나 쩔쩔매고 있으니
'다음부턴 그러면 안 된다'
웃으며 보내셨는데

아침 뉴스 시간,
빈 가게 숨어들어
서랍 따고 동전 하나

남김없이 털어간 사람들

왜 저러고 사는지 원
혀를 차며 보고 있는데

그 어린 시절 내가
나를 지켜보며 웃고 있었네

제3부

그날의 기억

가방 하나 어깨에 멘 채
더듬더듬 말 건네는 외국인 여자
주소 적힌 봉투 하나
지나는 사람마다
눈빛 교차하는 그 여자

혹시라도 도움 될까 싶어
봉투에 적힌 주소 확인해 보았지만
들어본 적 없는 곳
미안하다는 말 한 마디로
그냥 보내고 말았네

불현듯 생각난
주머니 속 휴대전화
주소 확인해 보니 어쩌나,
바로 맞은편 길이었네
이름을 몰랐을 뿐

마음은 몇 번이고 뒤돌아보는데
몸은 고집스레 앞으로 향했네

이제 와서 돌아가기 귀찮다는 생각
지금 가봐야 없으리라는 근거 없는 확신
발길 끝내 돌리지 못했네

악플

고양이 한 마리
꼬리털을 곤두세운다
허공을 향해 발 치켜든다
찢어 버리기라도 하려는지
있는 힘껏 할퀴어댄다
갑작스런 맹공에 당황한 하늘
속으로만 신음을 삼키고
온몸에 피칠갑을 한 채
드러눕는다
몸집은 점점 커지고
만족스러운 듯 울음 운다
다시 한 번 허공을 보며
킥킥 웃는다
더 붉어져야 한다는 듯
허공에 발길질한다

두 잔의 기억

커피 담긴 잔
뜨거운 물 부었지
온기가 느껴지지 않았어
컵에 담긴 물은
조금도 뜨겁지 않았던 거야

물에 녹아들지 않은 채
허우적거리고 있는 커피 가루들
버리기 아까워
휘휘 저어 마셨지

커피 한 잔 마시려고
정수기 물을 부었어
미지근한 커피 한 잔
손에 담겼지

김도 안 나는 커피
가만히 들여다보니

섞이지 않는 내가
둥둥 떠다니고 있었지

사과

사과 한 알
반으로 쪼개자
공중으로 울컥
참아온 울음 쏟아낸다
비명 소리 한데 모아
하얀 접시 위에 담아 놓고
하나 집어 입에 넣었다
베어문 조각 파편이
입 안 뒹굴던 도중
들려온 사과의
잠깐 동안의 외침
청사과를 씹으며
보일 듯 말 듯
살짝 찌푸린 내 얼굴
네가 짓던 표정이었을까
아주 잠깐 사과가 되어
네 입 속으로 들어가 보네

오늘, 다시 한 번

성미 급한 발걸음이 나를 자꾸만 앞으로 내몰 때 구름은 능청스레 해를 잘라내며 지나칩니다

금방이라도 무너질 듯 유통기한이 다 된 하늘이 위태롭게 매달려 있습니다

새들의 목욕을 엿보기라도 한 듯 해는 슬그머니 볼을 붉힙니다 무슨 일 있나 몰려오던 구름들도 따라서 붉어집니다

한 무리 세떼의 날갯짓 소리가 반쯤 열린 창문으로 일제히 뛰어듭니다

잠에서 덜 깬 그림자가 바닥에 무방비하게 말라붙어 있습니다 한숨과 함께 무심코 뱉어낸 오후는 무얼 그리 흔들리고 있는 것일까요

바람이 무뚝뚝한 초침 소리를 넌지시 흘려놓고 지나칩니다

구름이 몰고 온 정적 아래로 희미한 그늘이 드리워집니다

오늘, 다시 한 번 저물어 갑니다

오지 않겠다고, 썼다

고개 떨군 나뭇가지가 머뭇거리는 저녁

빈 껍질처럼 누운 골목으로
차가운 빗방울이 스며든다

비가 다녀간 거리에 찍힌 발자국들이 붉다

헤매다 돌아온 자리
벗겨진 신발 한 짝
발끝에 생각이 고이면
요란한 인기척 쌓인다

손 드는 순간
사라져 간 하루의 표정이 지워진다

귀를 열지 않는 목소리가
막다른 길에 홀로 앉아
퉁퉁 부은 활자를 꺼내 놓는다

한 문장으로 남겨진 그는
목소리를 잃어버린다

네가 떠난 자리에 네가 있다

네가 두고 간 옷가지들은 왜 이리 뒤척이는가 무슨 할 말이라도 있는지 쉴 새 없이 뻐끔거리는 입들 담아야 할 것과 담지 말아야 할 팔과 다리가 끊임없이 채워지고 다시 빠져나간다 다가오지 않은 채 멀리서 지켜보고 있을 널 위해 대문을 활짝 열어두면 벌컥 쏟아지는 소란한 무게들 지금은 물 아닌 것들을 끌어당기는 시간 바닥을 모두 메우고 남은 흙더미들이 구석에 웅크리고 있다 메워도 메워지지 않을 틈새 쌓아도 쌓이지 않는

언제까지 바닥을 꿈꾸려 하나 보이지 않는 벽에 가로막히기라도 한 듯 밀려갔다 밀려오는 계절들 누구를 향한 손짓으로 어둠을 끌어안은 채 널브러져 있는지 네게로 닿은 문이 완강하게 닫혀 있다 멈춰 선 발밑이 딱딱하게 굳어 있고 당황한 하루가 신입新入처럼 머뭇거린다 너를 기다리는 사이 싸늘한 바닥이 피곤한 듯 들썩거린다 무뚝뚝한 어둠 위에 새카맣게 눌어붙은 기억들이 줄지어 박혀 있다 네가 떠난 자리에 네가 가득 차 있다

부재

간간이 네 이름이 들려왔지만 너는 대답하지 않는다 보이지 않는 공간에서 또 하나의 너를 만들어내는 시간 왜 너는 없는 곳에서 가장 크게 드러나는가 쉴 새 없이 터져 나오는 잡담들 사이에 네가 있고 수많은 입들은 여기 없는 사람을 붙들고 놓지 않는다 동상처럼 웃으며 맞장구를 쳐 주다 희미하게 어른거리는 담배 연기 속 쓴 소주를 목구멍에 들이부으며 비는 쉴 새 없이 창문을 두드려댄다 문득 노려보고 있는 시선 하나 어른거리는 듯 하였다 귀를 기울여 보면 어렴풋 네 목소리가 들려오는데 오늘이 지나면 너에게 말을 건넬 것 아무 일도 없었던 것처럼

민낯

덜 자란 오후를 물고
미리 약속이라도 했는지 일제히
날아오르는 새떼

껍데기를 벗어던진 채
허공을 찢을 듯 울부짖는
새 한 마리

구석에 수북이 쌓여 있는
저것
어디에서 온 생각의 뼈대인가

짓궂은 바람 들이닥쳐
차갑게 식은 계절
지치지도 않고 굴려댈 때

언뜻 바라본 하늘
누구의 뒤통수인가

두고 온 것도 없는데
자꾸 뒤를 돌아보는

벌레에게 배우다

버스 의자에 앉아 창밖을 본다

바깥 유리창 한 켠에 달라붙어

시선 잡아끈 벌레 한 마리

무시하고 창밖 보려 했지만

자꾸 녀석이 눈에 밟혀

특단의 조치를 취하기로 마음먹었다

창을 열었다 닫고

유리 반대편 두드려 보았지만

녀석은 미동조차 않는다

그곳이 원래 제 자리라는 듯

남이야 안중에도 없다는 듯

빨판처럼 찰싹 달라붙어

혹시 저대로 죽기라도 했나

그런 의문도 잠시,

녀석은 살아있음을 증명하기라도 하듯

날개를 부르르 떨어 보인다

눈앞 탁 트인 차도

버스는 속력을 내기 시작했지만

자리를 내줄 생각은 눈곱만치도 없는지

녀석은 느긋하게 자리를 지킨다

이제껏 머물러 온 곳마다

얼마나 진득하게 달라붙어 보았나

한 장 포스트잇이 되어

녀석을 가만히 바라본다

강과 바다

강물은
제 조그만 손을
멀찍이
내뻗는다

저 너머
검푸른 해원海原을 바라보며
머뭇머뭇 멈춰서더니

이윽고
강의 허리를 꼭 붙든 손을
놓아버린다

검은 바다의 손아귀에
제 온몸을
그대로 흘려보낸다

열린 물길을 따라
메아리처럼 퍼져나가다

눈을 감는다

싯누런 노을이
소리 없이 다가와
느릿느릿 엎힌다

필적

옷을 입었다 다시 벗듯
검게 칠해졌다
어느새 제 하얀 몸 다시 드러낸 종이

잊는다고 그뿐만 아니라는 듯
차마 지우지 못하고
흉터처럼 선명히 남겨진
흔적,

잊어야 할 것은 그대로인데
하늘에 홀로 뜬 구름 한 점처럼
오갈 데 없이
덩그러니 놓인 마음

제4부

꿈 속

시간은 물살처럼
세차게,
거침없이 흘러가는데

보일 듯 말 듯
흐릿한 미소
그 너머

저만치서
그럴 줄 알았다는 듯
시큰둥한 얼굴 하나

가장 듣고 싶었던

단 한 마디
마지막

불러도 불러도

끝끝내

끝끝내
대답 없는

그 문 열리기까지

무척이나 뜨거웠던
그날이 가고
초록의 옷 두르고 있던
지난 시간을 넘어
어느새 성큼 다가온 가을

기다리던 때
이제 곧 온다기에
어떠한 기미나 낌새도 없이
일제히 붉게 타오를 줄 알았더니
그걸 보기 전까지
몰랐다

서서히 제 색을 띠기 시작한
어른 잎사귀
숫기어린 흔적 미처 지우지 못한
꼬마 잎사귀
한데 어우러진
사이의 아름다움

나무 한 그루
가을의 문 열기까지
그런 과정이 필요했다는 것

흔적

처음과 끝, 그리고
그 중간 어딘가
제각기 떨어져 있을
수많은 기억……

그대도 나도
지금껏 저 길
발자국 선명하게
지나쳐 왔겠지

우리 사랑
떨어뜨린 유리잔처럼
조각조각 깨어진
그날

날카로운 파편 하나
우연히 가슴에 튀어
어디 깊숙한 데
비수처럼 박혔나

길

앞으로만 가면
금방 도착할 줄 알았습니다
아직 그리 어둡지 않아
괜찮을 줄 알았습니다

그러나
미처 깨닫지 못하는 사이
길은 슬금슬금 뒷걸음질하더니
아득한 고개 너머로
비웃듯 사라져 갔습니다

어느덧 밤이
공룡처럼 커다란 제 모습을
훤히 드러냈고,
장성처럼 길어졌습니다

처음 떠나던 때는
꿈에도 몰랐습니다
내가 알고 있던 단 하나의 길
눈앞에서

수천 갈래로 뻗어나가는 것을……

허기지고 지친 가운데
쪽잠을 잠시 끌어안았다 내려놓고
최면에 빠진 사람처럼
눈을 바로 뜨지 못했습니다

날은 몹시 흐렸고,
아직 갈 길은 멀었습니다

그러진 못하겠더라

돌이켜보면
나 지나온 길
그리 먼 거리인 것도
아니었더라

이정도면 많이 왔겠다 싶다가도
그것을 비웃기라도 하듯
여간해선 제 모습
훤히 내보이지 않는 경계

처음 목적한 곳의 고작 반, 그조차
가까스로 닿을 만큼
가까이 다가가기까지는
아직도 한참 멀었더라

그런 주제에 감히
아직 뒤에서 미적대는 이를 향해
여봐란 듯 비웃진
못하겠더라

먹구름

텅 빈 옛 성터에
슬며시 고개 내민 아침처럼
조용했던 그곳

뭉글뭉글
떼 지어 다니던
거무스름한 것들

종이 위에
쏟아진 잉크처럼
서서히 허공을 장악해 가다

마침내
방바닥에 깔아 놓은 카펫처럼
까맣게 뒤덮어 버리네

시위를 떠난
수천의 화살들 마냥
일제히 들이치는 빗줄기

천둥
때마침 토해낸
고함

벼락처럼 내리꽂히며
허공과
거친 입맞춤 나누는 시간

산에 올랐습니다

풋사과 색 봄이
이파리 흔들며
바람과 함께 웅성거릴 때,

얼마 전 올랐던 산
잊혀짐이 아쉽다는 생각에
또 한 번 올랐습니다.

늘 가던 방향으로 보이던 풍경은
예전 그대로인데
이제껏 가 본 적 없던 길
멀찍이
갈대마냥 손짓하고 있었습니다.

이끌리듯 발걸음 내딛어 보니
늘 가던 곳만 봄은 아니었는지
봄은 그리로
커다랗게 열려 있었습니다.

순간의 눈부심을 어쩌지 못해

눈이 가늘어지면서도,
쉽게 감기지 않았습니다.

귓가에
산이 슬쩍 풀어 놓은 노래가
언뜻 스치더니,
온 땅으로 퍼져나갔습니다.

시 쓰는 날

널찍한 종잇장,
그곳을 가득 메울 만큼
수많은 단어들이
일제히 몰려든다
일개미처럼 떼를 지어
우르르,

갠 날의 태양,
마악 갈아 끼운 형광등 빛처럼
눈부시게 치장한 채
앞을 다투어
빗장 풀린 문으로
들어간다

문이 삼켜낸 글자들,
유난히 아름답고 빛나는 것들을 추려
종이 위에 내뱉는다
그런 다음
신발장 위에 정리해 둔 신발들처럼
가지런히 늘어놓는다

조금씩, 희미해졌다

어둠을
모자처럼 움푹 뒤집어쓰고
허공은 오늘따라
유난히 들썩거렸다

꽃샘추위처럼 매서운
칼바람이 불시에 습격해올 때

바람은
시위를 마악 떠난 화살처럼
순식간에 들이닥쳐오고 있었다

미처 피할 겨를도 없이
오로지 맨몸으로,
그대로 받아내야 했다

바람은 밧줄처럼
서서히 목을 죄고 있었다

사방이 막혀 있는

비좁은 공간
추리소설 속 어딘가처럼
완벽한 밀실

내 다리는 겁을 잔뜩 집어먹고
외나무다리를 디디고 선 듯
몹시 후들거렸다

일순, 눈앞이
산 너머 노을 끝자락처럼

조금씩, 희미해졌다

상처의 마음

데인 살갗에
상처 잠시 머물다 간 자리

어느 새
큼직한 흉터가
자리잡는다

그대 아는가
상처에도
눈이 있다는 것을

그래서
내가 상처를 바라볼 때
상처도 마주본다는 것을……

상처 난 자리
흉터는
상처가 남겨 놓은
시선이다

내가 움직일 때마다
감전된 듯 움찔거리는
흉터

그건
자기를 기억해 달라는
상처의
은밀한 속삭임

상처의 마음이다

겨울 나무

순백의 괴로움이여
아득한 슬픔이여
부디, 이리 오셔서
편히 쉬세요

이 뼈다귀처럼 앙상한 팔
깃발처럼 힘껏 휘저어 보겠습니다
그대 제 곁에 맞이하기 위해

그리하여 그대, 제 곁에
기꺼이 머물러 주시겠다면
저 또한 그대 위해
제 모든 것
기꺼이 아낌없이 바치겠습니다

그리고
그대의 거친 숨결
아침 해 반기듯 즐거이
꼬옥 끌어안아 드리겠습니다

그대 제 곁에 계신다 하여

많은 것 바라지 않습니다

그저
가을 바람에 떠나 보낸 아이들
다시 제 곁에 돌아오기까지
이리 와 앉아
말벗이나 해 주세요

허기진 승냥이처럼 사나운 겨울
누에 허물 벗듯
훌훌 떨쳐낼 수 있도록

자, 이제 그만
편히 쉬세요

언젠가 그대
태양의 부름에
온몸 흘려 보내어
땅 속 깊숙한 입맞춤으로 화답할
그날이 오기까지……

그런 거지

아무리
저 태양이 빛나는 하늘을
한없이 좋아한다 하여도
저리 빛나는 채로
지지 않고서
한참을 떠 있을 뿐이라면
더이상 해가 뜬 것을
마냥 좋아할 수만 없겠지

그게
세상에 낮 있고
또 밤 있는 이유라지

아무리
저 기쁨으로 가득 찬 세상
끝없이 사랑한다 하여도
저리 즐거운 채로
어느 때라도
실실 헛웃음 흘린다면

더이상 그 기쁨에
그만큼 가치가 없겠지

그게
세상에 기쁨 있고
또 슬픔 있는 이유라지

잘못 온 마을

목적지는
여기서부터
한없이 먼 곳에 있는데

왜, 이런 곳에서
이토록 머뭇거리는 것인가

이곳에
처음 눈 멎었을 때부터
발 들여놓지 말았어야 하지 않았던가

좀 멀리 돌아가더라도
다른 길 택했어야 하지 않았나
신중하게 고민해 봤어야 했는데

안주해선 안 되는 건데
그럴 생각으로
힘든 길 떠나왔던 것인데……

차마 발길 떼지 못한다

무언가
나를 붙들고
놓아줄 생각을 않는다

아니, 아니다
나를 붙들고 있던 건
애초부터
아무것도 없었다

정작
내가 매여 있던 건
결국……
나 자신이었던 거다

아직, 멀었나

단 한 사람도
끝까지 올라본 적 없다는
그 산

하늘에 닿아보겠다며
대나무처럼
위로만 쭉쭉 뻗어나간
그 산

무턱대고 올라 보았습니다

단 하나의 고른 길도
없었습니다

커다란 바위에 부딪혀
피멍 들거나
잘못 헛디뎌 엇갈린 발에
온몸이 내팽개쳐지기도 했습니다

그렇게,

일생의 짐인 양
무거운 하늘 짊어지고
한참을 걸었습니다

서서히
나의 몸 점령해 나가던
거친 숨결

이제
턱밑까지
나의 온 신경을
앗아가 버렸습니다

방향 잃은 채
주정뱅이처럼 휘청거리다

끝내는
갈 곳 잃은 아이마냥
쓰러지듯 주저앉고

말았습니다

이 고된 여정 끝내기는
아직,
멀었나 봅니다

나무

그대 놓아드릴 날이
기어이,
오고야 말았나 봅니다

오랜 시간
붙들고
놓지 않았던 손
이제 그만
놓아드리지요

한 줄기 바람에
그대 몸 띄워 드리니
자, 지금입니다
어서 가세요!

가시는 길
배웅은 하지 않으렵니다

다만
다음번에 찾아오실 때

다시 제 말동무가 되어주실 걸
굳게 믿고

언제까지라도
다시 오실 그날만
참고
기다리렵니다

■

해설

삶의 성찰과 길의 모색

- 정우석의 첫 시집

김완하

1. 첫 시집의 의미

정우석은 2006년에 한남대학교 문예창작학과에서 사제 관계로 만난 이후 지금까지 여러 가지 활동을 함께 해오고 있다. 그동안 정우석은 학부를 졸업하고 대학원에 진학하여 석사학위를 받았다. 그 중에 출판 편집을 익혀 2014년 가을부터는 『시와정신』을 맡아 편집해오고 있다. 그리고 2014년에 시인으로 등단하여 문단활동을 하고 있으며 이제 첫 시집을 통해 어엿한 시인으로 이 세상에 얼굴을 내보이는 것이다. 첫 시집은 '미완의 완성'이라고 말하면 어떨까? 그것은 시인으로 나아가는 출구이기 때문에 다소간 미숙할 수도 있지만, 첫 걸음을 마친다는 면에서는 완성이기도 한 까닭이다. 그점에서 첫 시집은 새로운 가능성과 한계를 동시에 안고 있는 것이라 할 수도 있다.

이 글에서는 정우석의 첫 시집에서 발견할 수 있는 가능성을 중심으로 살펴 앞으로 그의 시가 나아가야 할 방향을 짚어보는 계기를 마련하고자 한다.

벌거벗은 사내 하나
빙하 속에 스며 있다
오랜 그리움을 부여잡고
그는 아무도 모르게 조금씩
더 단단해지고 있을 것이다

싸늘한 저 몸뚱이
오래 전 그 자리에는
뜨거운 심장 펄떡대고 있었으리

얼굴 한쪽 무너져 내리고
뼈마디 선명히 드러날 때까지
누구의 눈길도 닿지 않는 곳에 잠겨
홀로 뜨겁게 견디어 왔을 것이다
고독의 더께가 쌓이고 쌓여
저토록 단단해졌을 것이다

아득한 기다림이 쌓아올린 절벽
갓 구워낸 도자기처럼 아슬하다

-「빙벽」 전문

위의 시는 정우석의 등단작 가운데 한편이다. '빙벽' 이라는 핵심어를 이미지로 내세우고 강렬한 인상을 구축하고 있다. 이 작품에서 정우석은 그의 시적 토대를 잘 보여주고 있다. 정우석이 신인상에 등단할 때의 심사평은 그의 시에서 장점 세 가지를 피력하고 있다. 우선 시에 대한 진지함으로 그의 시에는 세상에 때 묻지 않은 순수함이 있다는 것이다. 다음으로 그의 시는 세계를 밀고 나아가려는 시적 역동성을 엿보여준다는 점이다. 그래서 그가 앞으로 시세계의 확장을 이루어간다면 더 높은 세계를 펼쳐 보여줄 것으로 기대할 수 있다고 하였다. 그리고 마지막으로 시적 형상화에 대한 성실성을 강조하고 있다. 이러한 점들로 하여 정우석은 지속적으로 열심히 시를 쓸 수 있을 것으로 판단하였던 것이다.

그는 선명한 이미지와 은유를 중심으로 시를 구축하고 있다. 이 시에서도 그러한 점은 잘 나타나 있다. 이 시에서 '빙벽' 은 몇 가지 의미로 읽을 수 있다. 그것은 그대로 기백과 당당함을 간직한 채 붉은 심장을 지닌 '사내' 일 수도 있다. 또한 '빙벽' 을 오르다 그 속에 갇혀 죽음을 맞이한 사내일 수도 있다. 이 시는 영원과 순간이 교차하는 인간의 의지가 아슬하게 솟구치는 '빙벽' 의 절정 위에 구축되어 있다. 정우석의 등단작인 이 작품을 보면 그의 시적인 장기가 잘 드러난다. 정우석은 사실을 바탕으로 하는 리얼리티보다는 비유적 세계를 염두에 두고 감수성과 서정으로 대상에 접근하고 있다.

그의 시세계는 대략 다음의 네 가지로 나누어 살필 수가 있다.

2. 자기반성으로부터 출발

첫째로 정우석의 시는 자기반성으로부터 출발하고 있다. 시인에게 정직성을 요구한다는 것은 또 다른 문제일 것이다. 시적 형상화란 시인과 일대 일의 직선적 관계로 연결되는 것은 아니기 때문이다. 그러나 시가 시심과 시정신을 바탕으로 한다는 점에서 시인의 정직이나 진실과 의지는 매우 중요한 시의 출발이 될 수 있을 것이다.

주머니엔 동전 하나 없는데
눈앞에 자꾸 아른거리는
300원짜리 초콜릿 봉지

지나치려 했지만
달콤함이 날 떠나려 하지 않아
서너 개 집어 들었네

문을 나서려는데
문 앞에 앉아 있던 주인 아저씨
내 손 지그시 바라보셨네

혼나겠구나 쩔쩔매고 있으니
'다음부턴 그러면 안 된다'

웃으며 보내셨는데

아침 뉴스 시간,
빈 가게 숨어들어
서랍 따고 동전 하나
남김없이 털어간 사람들

왜 저러고 사는지 원
혀를 차며 보고 있는데

그 어린 시절 내가
나를 지켜보며 웃고 있었네

-「내가 나를 지켜보다」 전문

이 시는 정우석이 유년의 체험을 바탕으로 형상화하고 있다. 대략적으로 보아도 20여년 전의 일을 지금까지 떠올리며 그것을 반성의 토대로 삼고 있다는 점에서 그는 정직을 기반으로 하는 시인임이 분명하다. 지난 일이지만 자신의 치부일 수 있는 부분을 밝혀서 보여주는 용기가 이 시에는 드러나 있다. 그러한 용기는 성인(成人)이 되어서도 일상생활을 실천하는 패턴을 결정하는 역할을 할 수 있을 것이다. 그만큼 정우석은 진실한 자기 체험을 바탕으로 시를 쓰고 있다고 이해하게 되는 것이다.

가방 하나 어깨에 멘 채
더듬더듬 말 건네는 외국인 여자

주소 적힌 봉투 하나
지나는 사람마다
눈빛 교차하는 그 여자

혹시라도 도움 될까 싶어
봉투에 적힌 주소 확인해 보았지만
들어본 적 없는 곳
미안하다는 말 한 마디로
그냥 보내고 말았네

불현듯 생각난
주머니 속 휴대전화
주소 확인해 보니 어쩌나,
바로 맞은편 길이었네
이름을 몰랐을 뿐

마음은 몇 번이고 뒤돌아보는데
몸은 고집스레 앞으로 향했네
이제 와서 돌아가기 귀찮다는 생각
지금 가봐야 없으리라는 근거 없는 확신
발길 끝내 돌리지 못했네

-「그날의 기억」 전문

위의 시에서도 정우석 시인은 성실한 자기반성을 보여준다. 외국인 여성의 길 찾기에 소극적으로 대응한 자신이 "불현듯 생각난 / 주머니 속 휴대전화"의 도움으로 주소를 확인하고 바로 외국인 여성이 찾는 곳이 맞은편임을 알게 된다. 그러면서 시인은 "마음은 몇 번이고 뒤돌아보는데 / 몸은 고집스레 앞으로 향했네"라고 고백한다. 이미 자신을 스쳐 지나 일정한 거리에 도달한 외국인 여성에게 달려가서 그가 찾고자 하는 곳을 알려주지 못하고, 주저하며 머뭇거리는 자신의 내면의 안타까움을 반성하며 고백하고 있다.

우리 일상의 작은 일들도 그것을 실천하기에는 큰 결단이 필요할 때가 있다. 그리고 그러한 작은 일들이 하나로 연결되어서 큰 신념으로 발전하는 것이다. 그렇다. 정우석의 반성은 사소한 것으로 치부할 수도 있는 것이다. 그러나 그것은 독자들로 하여금 자신의 지난 일을 돌아보고 견주어 반성하도록 하는 효과를 자아내게 하고 있다. 정우석의 시가 우리에게 진정성을 가지고 다가오는 까닭이 여기에 있는 것이다.

3. 사회적 약자와 피해자에 대한 관심

이어서 그의 시는 사회적 약자에 대한 관심과 동정을 바탕으로 하고 있다. 그의 시 여러 편에는 사회적 약자들이 겪는 안타까움이나 가난한 자들에 대한 연민과 동정으로부터 출발하고 있다. 이점 또한 시인들에게 반드시 요구할 사항은 아니라고 할 수 있다. 그러나 시인은 낮은 곳이나 젖은 곳에 서서 높은 곳이나 밝은 곳을 바라보아야 한다는 점에서, 시인이 갖추어야 할 대상에 대한 관심과 애착으로 이해할 수 있다.

긴 시간을 부둥켜안은 시신 하나 방구석에 엎드려 있다

유서 한 장 없는 방 안
그가 남긴 마지막 한 마디인 듯 녹슨 문짝 거푸 덜컹거린다 오래 방치된 탓에 시신은 심하게 부패되어 형체를 알아볼 수 없다 홀로 어둠을 밀며 힘없이 팔과 다리를 지우는 뒤척임

무신경한 창문이 함부로 토해낸 바깥으로
건물들 하나씩 무너져 내릴 때
그는 일 년 동안
묵묵히
일인시위를 벌이고 있었던 걸까

열린 문틈 노려 찬바람 불어 닥치는 와중에도 그는 좁디좁은 방에 박혀 끙끙 견디고 또 견디다가
마침내 창문 밖으로 사라지는 배경으로 시선을 던졌을 것이다

누구를 위한 개발인가

-「재개발지구」 부분

이 시에는 약자에 대한 관심이 한 폭의 선명한 그림으로 다가와 우리를 이끈다. 재개발지구에 방치된 시신 하나와 그의 유서는 우리들에게 삶의 본질에 대한 질문을 던지고 있다. "누구를 위한 개발인가"라는 마지막 연의 물음은 우리 삶이 그러하듯, 모든 것은 가장 기본적인 물음으로부터

출발해야 한다는 것을 암시한다. 산업화 이후 개발이라는 미명 아래 서민들의 삶은 붕괴되어 기반을 잃는 경우가 많았다. 자신의 전 생애가 담겨 있는 삶의 토대가 하루아침에 상실될 때 겪는 고통은 극단적 선택인 자살로 나타나기도 하였다. 그러므로 '재개발지구'라는 명칭은 누군가의 죽음이라는 결과로 드러나기도 한다. 그 모순과 역설의 모습이 이 시에는 담겨 있는 것이다.

일자리 알아봐 주겠다던 친구 녀석은
벌써 며칠째 연락이 없다
달도 외면하듯 떠난 밤
포장마차 희미한 불빛 아래
호탕한 웃음소리 귓등으로 흘리며
맞장구라도 치듯
고개만 연신 주억거린다
접시에는 잿빛 낙지 한 마리
물 끓는 가락에 장단 맞춰
담배 연기처럼 흐느적거리고 있다
누구를 향한 손짓인가
벌써 자정 훌쩍 넘긴 시각
마누라 자식 놈은 지금쯤 잠들었을까
휴대전화 거푸 만져 보지만
연락할 이 하나 없어
애꿎은 소주병만 기울여댄다

–「김씨」 전문

이 시에서 보여주고 있는 김씨의 삶은 실직의 고통 위에 이어지는 매우 고달프고도 가파른 모습으로 제시된다. 취직을 부탁한 친구로부터 도움을 주겠다는 연락도 없고, 마땅한 직장도 나서지 않아 시간만 죽이는 삶이 이어진다. 그러다 보니 자연스레 포장마차에 들러 시름을 달래기 위해 소주병만 기울이게 되는데, 우리 주변의 많은 '김씨'들이 눈앞에 어른거린다. 이렇듯이 정우석의 시는 우리 사회의 문제를 향해서 눈길을 열고 있는 것이다.

시인으로서 주변의 삶과 이웃의 고통을 함께 나누려는 마음은 소중한 것이라 할 수 있다. 정우석이 우리 사회의 낮은 곤과 후미진 곳의 삶에도 시적인 관심을 기울임으로써 그의 시는 한결 따뜻함으로 우리에게 다가오는 것이다.

4. 사회 문화 현상에 대한 비판

다음으로 정우석은 우리 사회의 문화 현상에 대해서도 시적인 관심을 기울인다. 그는 현대의 사회적 제 문제와 문화적 현상에 대해서도 비판적 시각을 드러냄으로써 해결의 실마리를 마련하고자 하는 열정을 보여준다.

> 고양이 한 마리
> 꼬리털을 곤두세운다
> 허공을 향해 발 치켜든다
> 찢어 버리기라도 하려는지

있는 힘껏 할퀴어댄다
갑작스런 맹공에 당황한 하늘
속으로만 신음을 삼키고
온몸에 피칠갑을 한 채
드러눕는다
몸집은 점점 커지고
만족스러운 듯 울음 운다
다시 한 번 허공을 보며
킥킥 웃는다
더 붉어져야 한다는 듯
허공에 발길질한다

-「악플」 전문

지금 우리 사회를 돌아다보면 SNS를 통해 서로에 대한 중상과 모략, 그리고 심리적 분풀이가 심각한 상태라고 할 수 있다. 작금의 뉴스를 접할 때마다 SNS와 가짜 뉴스, 더 나아가 인신공격, 모략과 모함, 분풀이 등으로 얼룩진 현실은 대단히 참담하기조차 한 것이다. 그것들은 서로의 관계를 적대시하고 이간질로 사람들 사이를 갈라놓고 분열시키고 있다. 이 시에서 보여주는 '고양이'의 동작은 SNS의 '악플'로 연결되어 시적으로 매우 참신하게 다가오고 있다. '악플'이라는 문제는 그 폐해를 아무리 강조해도 지나치지 않을 것이다. 그러기에 그것을 시로 쓸 때 자칫 도덕적이거나 윤리적인 프레임에 갇힐 우려가 있다. 그점을 극복하기 위해서 정우석은 '고양이'를 등장시켜 허공을 할퀴고 헐뜯는 모습을 보여줌으로써 우회적으로 주제에 접근하는 재치를 보여준 것이다. 정우석의 시에서 이러한 기법도 눈여겨보아야 할 것이다.

커피 담긴 잔
뜨거운 물 부었지
온기가 느껴지지 않았어
컵에 담긴 물은
조금도 뜨겁지 않았던 거야

물에 녹아들지 않은 채
허우적거리고 있는 커피 가루들
버리기 아까워
휘휘 저어 마셨지

커피 한 잔 마시려고
정수기 물을 부었어
미지근한 커피 한 잔
손에 담겼지

김도 안 나는 커피
가만히 들여다보니
섞이지 않는 내가
둥둥 떠다니고 있었지

-「두 잔의 기억」 전문

이 시에서는 우리 사회의 소외 문제를 다루고 있다. 시인은 왕따와 따돌림, 서로를 배제시키는 문화를 비판적으로 제시하고 있는 것이다. 커피를 마시기 위해서 뜨거운 물에 커피를 타는 과정으로 비유된 이 시에서 소외의 문제를 에둘러 말하고 있다. 시적 분위기는 후반에 이르러 "김도 안 나는 커피 / 가만히 들여다보니 / 섞이지 않는 내가 / 둥둥 떠다니고 있었지"에서 자신의 경험으로 형상화하여 무게를 싣고 있다. 정우석이 사회 문화 현상에 대한 비판적 시각을 드러낼 때, 그는 자신의 체험과 연관된 시적 전개를 통해서 진정성 있는 시인의 자세를 엿보여주고 있다. 이러한 점에서 아직은 그의 사회 문화 현상에 대한 비판적 시각이 표층적인 점에 머물고 있지만, 앞으로는 더 날카롭게 전개되어 갈 것으로 기대한다.

5. 길을 통한 삶의 성찰

다음으로 정우석은 이러한 문제 인식을 총체적으로 결집하여 삶의 성찰로 갈무리하고 있다. 정우석의 시는 절대로 어렵지 않다. 그의 시는 진솔함과 가식 없는 표현으로 전개되기 때문에 독자들에게 한결 친화력을 가지고 다가온다.

앞으로만 가면
금방 도착할 줄 알았습니다
아직 그리 어둡지 않아
괜찮을 줄 알았습니다

그러나
미처 깨닫지 못하는 사이
길은 슬금슬금 뒷걸음질하더니
아득한 고개 너머로
비웃듯 사라져 갔습니다

어느덧 밤이
공룡처럼 커다란 제 모습을
훤히 드러냈고,
장성처럼 길어졌습니다

처음 떠나던 때는
꿈에도 몰랐습니다
내가 알고 있던 단 하나의 길
눈앞에서
수천 갈래로 뻗어나가는 것을……

허기지고 지친 가운데
쪽잠을 잠시 끌어안았다 내려놓고
최면에 빠진 사람처럼
눈을 바로 뜨지 못했습니다

날은 몹시 흐렸고,
아직 갈 길은 멀었습니다

-「길」 전문

'길' 만큼 우리에게 많은 시적 소재로 다가왔던 것도 없을 것이다. "앞으로만 가면 / 금방 도착할 줄 알았습니다 / 아직 그리 어둡지 않아 / 괜찮을 줄 알았습니다" 에서는 삶에 대한 인식을 길의 출발로 전개하고 있다. 그러나 이어지는 부분에서 "미처 깨닫지 못하는 사이 / 길은 슬금슬금 뒷걸음질하더니 / 아득한 고개 너머로 / 비웃듯 사라져 갔습니다" 라고 하여 자신의 예상을 벗어난 것임을 알린다. 그리고 "날은 몹시 흐렸고, / 아직 갈 길은 멀었습니다" 라는 점으로 귀결되고 있다. 그리고 그것은 '길' 이라는 제목의 메타포로 결집된다. 그런 점에서 이 시는 매우 포괄적인 의미망을 가지고 있다. 우리가 살아가면서 겪는 모든 삶의 문제는 다 이러한 흐름에 연결될 수 있기 때문이다. 그래서 그의 시는 보편성을 지님으로써 우리 삶을 전체적으로 아우르는 것이다.

돌이켜보면
나 지나온 길
그리 먼 거리인 것도
아니었더라

이정도면 많이 왔겠다 싶다가도
그것을 비웃기라도 하듯
여간해선 제 모습
훤히 내보이지 않는 경계

처음 목적한 곳의 고작 반, 그조차

가까스로 닿을 만큼
가까이 다가가기까지는
아직도 한참 멀었더라

그런 주제에 감히
아직 뒤에서 미적대는 이를 향해
여봐란 듯 비웃진
못하겠더라

-「그러진 못하겠더라」 전문

우리가 살아가는 '길'은 끝이 없는 '길'일 것이다. 그것은 죽음으로써만 마감할 수 있는 것이다. 그러므로 우리에게는 죽음이 길의 완성인 것이다. 이 시는 길이라는 메타포를 통해서 삶의 진실을 바라보고 있다. 그런데 아직 30대 초반인 정우석 시인의 의식 속에 드러나는 '길'의 역설적 의미는 대단히 의미심장하기도 한 것이다. 정우석의 생에 대한 체험이 너무 조숙한 것인지, 아니면 너무 쉽게 생을 재단하고 있는 것인지는 모른다. 그러기에 그는 앞으로의 시적 전개에서 이 문제에 대한 보다 치열한 의식을 보여줄 것을 기대한다.

6. 새로운 시에 대한 기대감

이상에서 살핀 바와 같이 정우석은 대략 네 가지 흐름으로 시를 구축하고 있다. 이러한 정우석의 시들이 앞으로는 어떻게 변모해갈 것인지 자못 궁금하다. 아직 다소간 수줍은 듯한 시적 포오즈를 취하고 있는 그에게 그것을 밀고갈 수 있는 시적 역량과 추진력이 필요하다는 점을 강조하고자 한다. 그러나 정우석의 시적 행보에 우리는 기대를 가져도 좋다고 본다. 그 기대를 새롭게 하도록 하는 시 한편을 아래에 소개하고자 한다.

까무잡잡한 멧새 한 마리
아이 손바닥만 한 몸뚱이 휘휘 흔들며
멀리서 나뭇잎 떠는 모습
지켜보고 있다
바람 한차례 그 몸뚱이 휘감자
버텨 보려는 듯 두 발 부르르 떨고
휘적휘적 날갯짓 몇 번 치더니
더는 못 견디겠는지
나뭇가지를 힘껏 박차고 오른다
순간이었다
멀리서 몰아쳐 온 바람
바로 그 자리에 날아와 꽂히기까지
새는 어느새 자취를 감추고
머물다 간 흔적만
공중에 선명하다

-「바닥」 전문

'바닥' 이라는 중심어를 바탕으로 이 시는 대단히 밀도 높게 시적 성과를 보여주고 있다. 이 시에서 '바닥'이란 우리가 딛고 살아가는 곳, 우리 삶이 놓여 있는 곳의 현실이다. 그러므로 그것은 어찌 보면 가장 높은 곳인지도 모를 일이다. 이렇듯이 이 시의 의식은 역설적 의미 속에 자리 잡고 있다. 그러한 시상이 맵짠 표현을 통해서 단단하게 구축되어 있는 것이다. 이러한 토대 위에서 앞으로 그의 시가 좀더 예리하고도 깊이 있게 전개되어 간다면 높은 시적 성취가 가능할 것으로 파악된다.

정우석은 무엇보다도 성실성과 여유를 가지고 있다. 그리고 그는 매우 진중함과 사려 깊은 자세를 가지고 있다. 이를 토대로 하여 앞으로 정우석은 무엇보다도 활달함과 재기발랄함으로 변화를 거듭해간다면 그의 시는 더 강한 감동으로 우리에게 다가올 것이 확실하다. 정우석의 시집 출간을 거듭 축하한다. 더불어 그의 앞날에 큰 행운과 발전이 함께 하기를 진심으로 기대한다.

김완하 | 시인, 한남대 교수

시와정신시인선 24
네가 떠난 자리에 네가 있다

초판 1쇄 | 2019년 6월 24일

지 은 이 | 정우석
펴 낸 곳 | **시와정신**
주　　소 | (34445) 대전광역시 대덕구 대전로1019번길 28-7
신창회관 2층
전　　화 | (042) 320-7845
전　　송 | 0507-713-7314
홈페이지 | www.siwajeongsin.com
전자우편 | siwajeongsin@hanmail.net
편　　집 | 정우석 010_9613_1010
공 급 처 | (주)북센 (031) 955-6777

ISBN 979-11-89282-10-3 03810

값 8,000원